數位世界的孩子 ③

為什麼我要注意 網路健康？

文｜班·赫柏德 Ben Hubbard

圖｜迪亞哥·瓦斯柏格 Diego Vaisberg

譯｜洪翠薇

Digital Citizens Series : My Digital Health and Wellness

Author: Ben Hubbard

Illustrator: Diego Vaisberg

Packaged by: Collaborate

Franklin Watts

First published in Great Britain in 2018 by

The Watts Publishing Group

Copyright © The Watts Publishing Group 2018

Complex Chinese rights arranged through

CA-LINK International LLC (www.ca-link.cn)

Complex Chinese copyright 2019 by

COMMONWEALTH EDUCATION MEDIA AND PUBLISHING CO., LTD.

Franklin Watts

An imprint of Hachette Children's Group

Part of The Watts Publishing Group

Carmelite House

50 Victoria Embankment

London EC4Y 0DZ

An Hachette UK Company

www.hachette.co.uk

www.franklinwatts.co.uk

（●●）少年知識家

數位世界的孩子❸

為什麼我要注意網路健康？

作者│班・赫柏德 Ben Hubbard　繪者│迪亞哥・瓦斯柏格 Diego Vaisberg　譯者│洪翠薇

責任編輯│張玉蓉　特約編輯│洪翠薇　美術設計│蕭雅慧

內文排版│柏思羽　行銷企劃│陳雅婷

發行人│殷允芃　創辦人兼執行長│何琦瑜　總經理│王玉鳳

總監│張文婷　副總監│林欣靜　版權專員│何晨瑋

出版者│親子天下股份有限公司　地址│台北市 104 建國北路一段 96 號 11 樓

電話│（02）2509-2800　傳真│（02）2509-2462　網址│www.parenting.com.tw

讀者服務專線│（02）2662-0332　週一～週五：09:00~17:30

傳真│（02）2662-6048　客服信箱│bill@service.cw.com.tw

法律顧問│瀛睿兩岸暨創新顧問公司

印刷製版│中原造像股份有限公司　裝訂廠│中原造像股份有限公司

總經銷│大和圖書有限公司　電話：（02）8990-2588

出版日期│2019 年 4 月第一版第一次印行

定價│300 元　書號│BKKKC117P　ISBN│978-957-503-386-6（精裝）

──────── 訂購服務 ────────

親子天下 Shopping │ shopping.parenting.com.tw

海外・大量訂購│ parenting@service.cw.com.tw

書香花園│台北市建國北路二段 6 巷 11 號　電話（02）2506-1635

劃撥帳號│ 50331356　親子天下股份有限公司

親子天下 Education・Parenting Family Lifestyle

目錄

什麼是「數位公民」

當我們上網時，就進入了浩瀚的網路世界。

我們可以用手機、電腦和平板電腦來上網，

可以在線上探索與發揮創意，還可以和數十億個人交流、溝通。

這樣就形成了「數位社群」，而上網的每個人都是「數位公民」。

所以，當你在上網的時候，你就是個數位公民。

這是什麼意思呢？

公民與數位公民比一比

好的公民奉公守法，懂得照顧自己和其他人，並且努力讓社會更好。而好的數位公民也一樣。然而，網路世界比城市、國家要大得多，它跨越國界，延伸到全世界。因此，世界各地的數位公民，都有責任讓數位社群成為對每個人都安全、好玩的地方。

留意你的數位身心健康

網路世界很容易讓人深深著迷。當我們探索網路、玩遊戲、更新社群網站的資訊時，時間可能在不知不覺中就過去了。有時候，長時間沉浸在網路中，可能會讓我們的身體既僵硬又痠痛；除此之外，還可能看到讓人不開心的資訊。

話雖如此，我們卻可能發現自己離不開網路。所以，聰明的數位公民會學習在上網時間和維持身心健康間取得平衡。這本書會幫助你照顧自己的數位身心健康。

你在做什麼？

邊上網邊照顧自己的數位身心健康，還有平衡我的網路生活。

你要拿水果做什麼？

在我待會休息時，榨果汁來喝。

你的數位身心健康

**在現實生活中，你一定會先做好準備才開始進行冒險，
而在網路世界也是如此。**

數位公民會在身體和心理兩方面都準備好。
也許這些你都還不太清楚，
別擔心，來看看下面的說明吧！

身體上的準備

上網雖然不像跑馬拉松那麼辛苦，但還是可能會對身體造成負擔喔！長時間用數位裝置工作的人，手部、手臂、背部和脖子可能會疼痛，這種疼痛常常會導致一種嚴重的病症，叫做「重複使力傷害」（英文縮寫為RSI，見第8頁）。然而，你能輕鬆預防「重複使力傷害」和其他類似的症狀。在上網前先做好準備，並且注意身體傳達的訊息，就能幫助你不受疼痛困擾。

心理上的準備

我們上網時，經常會覺得自己的大腦好像與網路融為一體，就像是能同時兼顧傳訊息、瀏覽網站、玩遊戲的特技人員。但有時候，我們因為太專注在螢幕上的內容，沒注意到好幾個小時就這樣不見了，事後還可能會覺得精疲力盡。網路讓我們很難專心做其他事，但我們還是等不及想再一次上網。

不過，我們都需要偶爾讓大腦放假，離開網路一下。這能幫助我們消化在網路世界看到的東西，並且提醒自己，網路和真實世界是不一樣的。

做好準備，預防疼痛

人類的身體經過幾千萬年的演化之後，能夠做一些身體上的勞動。

我們的身體構造，並不適合坐在電腦前好幾個小時，做一些重複性的小動作。
為了做這項現代人才有的工作，我們一定要好好照顧身體，幫助身體適應。

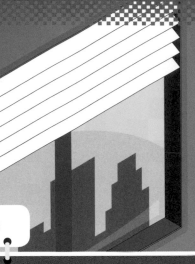

重複使力傷害（RSI）

「重複使力傷害」是一種讓人疼痛的病症，通常會影響到手、手腕和手臂，它的成因是一直重複做相同的小動作，因此，使用電腦的人常常會受這種病症影響。它的症狀包括身體僵硬、刺痛、麻木、有灼熱感等。如果你身上出現其中任何一種症狀，一定要限制自己使用數位裝置的時間，並且盡快去看醫生。這種病症可以治好，但是預防總是勝於治療。

使用電腦時的正確坐姿

正確的坐姿是預防身體出毛病的第一步。依照右方五個簡單的步驟，你就能設置正確又舒服的電腦工作站 ➡

1 用一把能讓脊椎挺直、不會駝背的椅子來支撐你的背，讓你保持良好的坐姿。

2 把螢幕放在和眼睛一樣高的位置，你就不用為了看螢幕而彎脖子了。

我的手腕痛死了！

這也難怪，看看你的坐姿！
休息一下，待會我來幫你
設置正確的工作站。

3 腿部彎成直角，腳掌踩在腳凳或地面上。

4 讓手臂與電腦桌維持直角，打字時不用把手往上抬或往下...

5

伸展與避免肌肉受傷

**你有沒有注意過，當自己在專心看網路上的資訊時，
身體到底呈現什麼姿勢呢？**

上網時我們常彎腰駝背，甚至會咬緊下唇，
在不知不覺中讓自己變得既緊繃又僵硬，長期下來對身體並不好。
聰明的數位公民懂得適時休息，做些運動伸展筋骨、放鬆一下。

休息片刻，伸展一下

每用電腦二十分鐘就休息五分鐘，能幫助你解除僵硬和緊
繃，並且預防疼痛。在休息時，試試看以下六種伸展操。
一開始可能會覺得有點好笑，但是做完之後，你會神清氣
爽喔！

1 把所有手指
伸直十秒鐘，然
後放鬆。接著彎
曲所有手指的指
節十秒鐘，然後
放鬆。

2 抬高眉毛，張大眼
睛和嘴巴，並且把舌頭
伸出來，維持十秒鐘然
後放鬆。盡量不
要笑喔！

3 慢慢把兩邊肩膀
聳起來到耳朵旁，
維持五秒鐘，然後放
鬆。

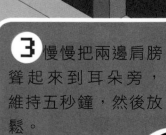

避免眼睛疲勞

數位公民花很多時間盯著螢幕看，所以必須好好照顧眼睛的健康。有個簡單的眼部小運動：每過二十分鐘，就把視線移開螢幕，花二十秒左右專心看遠方的某樣東西。這能幫助眼部肌肉放鬆，避免眼睛疲勞。也別忘了要常眨眼喔！

4 十指在頭部後方緊扣，輕輕的將肩膀往內壓，維持十秒鐘，然後放鬆。

5 慢慢把頭傾向一側，維持十秒鐘，恢復正常位置後放鬆。接下來，另一邊重複相同步驟。

6 慢慢將下巴轉向左肩，維持十秒鐘然後放鬆。接下來，另一邊重複相同步驟。

數位生活也要運動

有沒有人對你說過，健康的身體能造就健康的心靈？

聽起來可能是老生常談，但這是真的喔！

聰明的數位公民為了上網，會訓練自己天天做運動和獲得充足的睡眠。

這能讓思緒清晰，保持身體健康，好面對每一次的網路冒險。

那是什麼？

健康的數位公民

在二十世紀晚期，醫生發現大家花太多時間坐在螢幕前了，導致大家變得很不健康，身體容易出問題。現在我們知道，一般人每週至少要運動五天，每次運動六十分鐘，才能保持健康。

現在就運動

上網時，很容易會把運動擱在一旁，總是有訊息要回、有網站要看、有遊戲要趕快過關。不知不覺中，吃晚餐或上床的時間就到了。但是，站起來做點運動也很容易，像是跑步、騎腳踏車或散散步。有個好方法是設定鬧鐘，提醒自己要做運動。

這是一種能同時上網和運動的裝置，它每二十分鐘就會關閉，所以我會被迫休息。我要發起群眾集資來生產這個裝置。

睡前要關機

你知道嗎？睡前看螢幕，就好像在賽跑之後馬上睡覺一樣難以入眠。睡前至少一小時就關掉所有的數位裝置，是讓自己放鬆、好好睡一覺的最佳方法。到了早上，網路世界依然會在原處等著你。

應用程式的逆襲

二十年前，大部分的人得用桌上型電腦才能上網。

當時網路才剛出現，有些人還說它絕對不會流行起來呢！

現在，網路是每個人生活的一部分；

平板電腦、智慧型手機讓我們隨時隨地都能上網。

這些數位裝置能讓我們覺得自己掌控了一切；

但事實上，這些裝置是不是也控制了我們？

聰明的數位公民不但會照顧身體健康，也會照顧心理健康。

記錄手機的使用狀況

你有沒有發現自己在不知不覺中，會一直拿起手機來看？智慧型手機是很好的工具，也可以讓我們打發無聊時間。但是，你每天花多少時間看手機呢？要不要試著用日記記錄下來？寫下你在一天當中每次用手機的情況，記錄使用的長度和用途。當你看到結果時，問問自己：「當中有多少時間是有好好利用的？」

對抗應用程式的活動

如果你覺得自己太常使用數位裝置，可以試試右方任何一個活動。這些「對抗應用程式的活動」，能幫助你用其他方式充實時間。

1 用紙筆寫一封信，裝進信封裡寄出去。收到信的人會很驚喜喔！

2 用紙筆畫一張圖，不要上網找靈感。

我的心情變差了！

有時候，上網可能會讓人覺得困惑、焦慮或沮喪。我們可能會看到令人不安的東西，或讀到讓我們覺得自卑的貼文。好好照顧自己的心理健康，是當個數位公民重要的一環。如果你有以上任何一種感受，一定要找人談談，可以先從你信任的大人開始。此外，也有一些電話熱線，你可以匿名打去和專家聊一聊。最重要的是，這種時候很適合從網路世界休息一下。

3 來聽廣播吧！你可以聽新聞、音樂節目或談話性節目，把這當做另一種獲得資訊的方式。一百年前的人都是聽廣播，而不是看電視呢！

4 讀一本書讓自己放鬆，或是學習新東西。市面上有各式各樣的書，任何人都能找到自己喜歡的主題。

限制上網時間

你是否曾經只想坐下來打個五分鐘的遊戲，
結果發現五小時就這樣過去了？

你本來想停下來，但想先打完這一關再說。
要找藉口留在網路上是很容易的，
但是聰明的數位公民知道什麼時候應該休息。

▶▶▶▶▶▶▶▶▶▶▶▶▶▶▶▶

恭喜，
你破解第三十八關了！

山姆，只能再玩二十分鐘，
知道嗎？

好啦，
我知道啦。

用鬧鐘設定上網時間

所有數位公民都知道，每天的時間總是不夠
用，有太多貼文要貼、太多訊息要寫、太多網
站要看、太多遊戲要玩了。更別提還有真實世
界呢！想好好劃分花在網路世界與真實世界
上的時間，最好的方式就是設定鬧鐘。鬧鐘一
響，你的上網時間結束了，這時候就該放下網
路了！

玩遊戲的風險

線上遊戲有點像社群網站,你能在上面和其他玩家交流。玩家常常會對彼此口無遮攔,但是要小心你說出口的話。有時候,玩家的評語可能會變成辱罵,因而成為一種網路霸凌。如果有任何玩家讓你覺得不安,一定要馬上離開,告訴你信任的大人。

網路成癮

對一些數位公民來說，花太多時間上網，會造成很嚴重的問題。

他們可能會對數位世界上癮，很難專心做其他事，
甚至會不想跟真實世界的人互動，變得越來越孤僻。
發生這種情況時，通常需要別人的協助才能改善。

我上癮了嗎？

花很多時間上網和上癮是不一樣的。不過，如果右方的症狀出現在你身上時，最好和信任的大人談談➡

❶ 你犧牲所有空閒時間拿來上網，甚至犧牲睡眠。

❷ 沒有上網時，你會變得很憤怒、煩躁或沮喪。

受到獎勵的感覺

網路世界有許多讓我們覺得開心的事。在社群網站上,我們會期待別人回應我們的貼文;在別人按「讚」時,也有受到獎勵的感覺。玩線上遊戲過了一道困難的關卡,更會讓我們覺得很有成就感。有些人想一直得到網路提供的這種興奮感,最後就對這種感覺上癮了。

3 你會偷偷違反上網時間的限制,還騙人說你沒有違反。

4 比起和親朋好友在一起,更喜歡上網。

5 你的課業退步了,而且還為了上網忽略其他該做的事。

社群網站與自我形象

社群網站是大家最喜歡用來和親友保持聯繫的方式。

我們可以用自己的智慧型手機拍一張自拍照，
然後只花幾秒就上傳到社群網站上。
在等待別人的回應時，我們也可以看看朋友們貼了什麼東西。
不過有時候，這可能會讓我們對自己產生負面評價，
因為你可能會覺得別人的朋友看起來好像比較多，也過得比我們快樂。

麥爾坎有超過一百五十個朋友，
而且看起來好像
一直都很開心。

展現人性

最受歡迎的貼文常常是耍寶的照片，配上自己出糗的經驗，或是搞笑的自我解嘲。這是因為貼文很貼近眾人的經驗，容易引起共鳴。這比張貼完美的照片，或寫自己的生活有多麼精采，來得好玩多了。所以，下一次你滑倒或是把湯灑在身上時，就貼一張好笑的自拍照吧！看看大家會做出什麼樣的反應。

網路上報喜不報憂

聰明的數位公民會記得，社群網站並不能反映真實世界的生活。這是因為大部分的人只會張貼自己好看的照片，有些人甚至會先做數位修圖或改圖才上傳。大家通常也會美化自己正在進行的活動，沒有人想要張貼自己早上剛起床或綁鞋帶的照片，所以有些人的社群帳號看起來，好像過著豐富又精采的生活。但請記得，沒有人的生活是一直很有趣、永遠都沒有問題的。

避開廣告

你有沒有注意過，網路上有多少廣告？

廣告充斥在網路各個角落，不停閃爍、跳出螢幕，想引誘我們點下去。
這些廣告向我們保證，如果我們購買他們的產品，
就能變漂亮、變成功、過得更開心。
不過，聰明的數位公民知道不能相信這些廣告。

拜託嘛，
這是最新的玩具，
我很需要！

好吧，但這就算是
你的生日禮物了。

廣告和行銷

行銷就是針對特定團體做廣告，希望賣東西給他們。所以，許多廣告把
目標放在小孩身上。很多商人會稱十二歲以下的小孩為「煩人精」，因
為小孩雖然自己沒有錢，卻會纏著父母央求買最新的玩具或遊戲。商人
保證這些最新商品會讓我們快樂，但很快的，一個最新商品就會被另一
個更新的商品取代。聰明的數位公民知道買東西可以帶來短暫的開心，
卻沒辦法帶給我們長遠的快樂。

置入性行銷

你有沒有過這樣的經驗:你在網路上點進一則新聞,卻發現它其實是廣告?這是聰明的廣告商想騙我們閱讀產品資訊的方法,稱為「置入性行銷」。有時候,這種文章會在角落標示「付費宣傳內容」、「贊助廣告」或「廣告」等字樣。不過,在沒有標示的時候,我們要在點進去之前先暫停一下,好好思考清楚。

你們看,
這是最新的玩具!

不對,那在昨天下午
就不是最新的了,
這才是現在的最新玩具!

男生和女生的形象

網路世界上，充滿了男生和女生外表應該看起來要如何，
或應該有什麼行為的圖片、影像和建議。

這就叫做「性別刻板印象」。性別刻板印象常常告訴我們，
女生應該要漂亮、彬彬有禮，表現出淑女的樣子，
而男生應該要強悍、擅長運動，不輕易哭泣。
聰明的數位公民不會相信這些性別刻板印象，
而會推動平等的網路世界，讓大家都能做自己。

哇，你看這個男生！
真希望我也像他一樣。

她看起來好完美喔！

經過修整的照片

網路廣告、名人網站和時尚電子雜誌，經常向我們展示擁有健美身材、
燦爛笑容和完美髮型的模特兒照片，這可能會讓我們對自己的外表不滿
意。請務必記得，這些形象和真實世界完全不同。真實世界裡，大部分
的人看起來都不像模特兒，而且很多模特兒的網路照片在發表之前，都
先經過了大量的修圖和調整。

打破窠臼

網路世界會讓我們看到很多性別刻板印象，不過網路也是對抗刻板印象的好地方。例如，不論男生或女生都能使用男性、女性或中性的化名和虛擬頭像。我們也可以利用網路讓大家知道，刻板印象會讓大家心胸變得更狹窄。畢竟，世界上也有許多擅長運動的女生或溫柔的男生，而且每個人都有哭泣的權利！

可是你看，
我找到修圖前的版本了。
他們原本長這樣耶！

寬容的數位世界

數位公民會追求寬容的世界，讓人人都能做想做的事，包括喜歡穿女生衣服的男生，也包括覺得自己生錯性別，想要換成另一種性別的男生或女生。這些人稱為「跨性別族群」，在網路上很活躍。網路能幫助其他人了解他們，並且消除大家對這些人的偏見。

數位排毒

網路是一個步調很快，永遠不休息的世界。

你可以在上面和別人做即時通訊，
沒日沒夜的玩遊戲，或是在任何時間瀏覽網站。
但長時間使用網路仍會覺得累，難怪有時候數位公民會覺得筋疲力盡。
當你有這種感覺時，最好讓自己做個「數位排毒」，戒一下網路。

你知道這裡的無線網路密碼是什麼嗎？

欸我不知道耶。我在看書。

關機並關心身邊的人

「數位排毒」的意思是關閉所有數位裝置，讓大腦休息一下。這是親近真實世界朋友的好時機，提醒你記得真實的朋友很好玩、很友善而且有缺點，和他們在社群帳號上張貼的那些精選內容很不一樣喔！

幻想與現實的差距

線上遊戲是很棒的娛樂，但是有時候你可能會覺得腦子裡擺脫不了遊戲。要是你走在街上時，想像自己跳過車子、丟手榴彈或是開賽車，這表示你大概是遊戲玩太囉！幸好真實世界比遊戲平靜、有秩序多了，也別忘了好好享受真實世界喔！

最棒的體驗在真實世界中

在我們上網時，很容易就會想像全世界的人都在網路上，但其實不是這樣。世界上仍有上億人沒有數位裝置或網路連線，其中有許多人就在我們身邊。記得，做一個數位公民，不見得代表擁有充實的生活，畢竟人生中最棒的體驗發生在真實世界裡，而不是在網路上。

數位知識小測驗

在你看完這本書之後，對於網路健康有什麼感想呢？

你學到了多少東西，又能記得多少東西呢？
做做看這個小測驗，完成後計算總分，就能知道囉！

Q1 用太多電腦會對身體造成什麼傷害？

a. 重複暴力傷害
b. 重複使力傷害
c. 重複疼痛傷害

Q2 在電腦桌前用電腦時，最好怎麼擺放雙腳？

a. 雙腳懸空
b. 伸直放在墊子上
c. 腳掌踩在地面上

Q3 短暫休息的長度應該至少多久？

a. 大約五分鐘
b. 二分四十五秒
c. 二十分鐘

Q4 如果想要一夜好眠，你不應該做什麼？

a. 在床上玩線上遊戲
b. 在熄燈前看一下社群網站
c. 睡前至少一小時關閉所有數位裝置

Q5 若出現以下哪個徵兆，代表你可能網路成癮了？

a. 智慧型手機老是黏在手上
b. 沒有上網時，你會變得很憤怒、煩躁或沮喪
c. 你姊姊說你網路上癮了

Q6 說男生、女生外表和行為應該要怎樣，叫做……

a. 性別多元印象
b. 性別第一印象
c. 性別刻板印象

Q7 世界上有多少人沒有網路連線可用？

a. 四百人
b. 三百萬人
c. 上億人

Q8 什麼是數位排毒？

a. 一種強調香蕉營養成分的果汁
b. 一段時間不上網
c. 媽媽提過的一種飲食法

你表現得如何？
來計算總分吧！

1分～4分：
是個好的開始，不過再做一次測驗吧！看看你能不能得4分以上。

5分～7分：
表現不錯喔！現在，試試看你能不能通過《為什麼我要認識網路人權？》書後的小測驗。

8分：
恭喜你得滿分！你是天生的數位公民喔！

詞彙表

上癮
生理和心理上依賴某樣東西。

應用程式
簡稱為APP，是智慧型手機、平板電腦等數位行動裝置專用的程式。

虛擬頭像
用來在網路上代表自己的圖示或圖像。

群眾集資
許多人捐出一筆錢，一起負擔某個計畫的費用。

排毒
因為太常接觸某樣東西，可能會造成有害的影響，所以暫時不接觸這樣東西。

網路
一個巨大的電子關係網，讓全世界上億臺電腦能互相連結。

上網
透過數位裝置連結到網路。

自拍
自己拍自己的照片，通常是用智慧型手機拍，有時候是用「自拍棒」輔助。

智慧型手機
能夠連線上網的手機。

社群網站
讓使用者能用來在網路上分享內容與資訊的網站。

刻板印象
對某個人抱持的一種過度簡化的觀點。

信任的大人
你熟悉且信任的大人，能幫助你處理所有和網路相關的問題。

中性
任何性別都能使用的東西。

上傳
把在數位裝置上的東西丟到網路上。

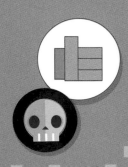

延伸資訊

另一個的「數位健康」

隨著智慧型手機、穿戴的數位裝置日新月異，還有雲端數據的普及化，許多科技大廠紛紛投入「數位健康」領域。這裡所說的「數位健康」，跟前面我們談到的不一樣，指的是運用數位科技，來測量你的心跳、記錄你的熟睡程度、計算你每日消耗的卡路里等，也就是「用『數位』這個方法，來記錄、管理你的健康」。這些數據能夠成為你監控自己健康的方式，也能做為醫生診斷的參考依據，更能成為預防疾病、促進健康行為的好幫手。

當然，如果要促進你的「數位健康」，不能單靠「數位健康」裝置，還是要起來動一動、活動筋骨，再回頭看一下「數位健康」裝置所記錄的數據，來做為你調整作息、運動頻率的依據呦！

索 引